Sommaire

Pour un **dos** sain et robuste

Un nouveau **sentiment** de bien-être

Un dos enfin robuste ! 22

Lancez-vous donc !

Concoctez-vous un entraînement à la carte

Pour un dos

robuste et sain

*Avant de vous inviter à vous
lancer dans la pratique
des exercices, nous vous
proposons un bref
récapitulatif sur l'utilité
et le fonctionnement
de votre colonne vertébrale
et des muscles du dos.
Vous comprendrez
alors beaucoup mieux
la nécessité d'une activité
physique adaptée.*

Droit, **robuste** et mobile

Bien droit, plié, en position assise ou bien lors du port d'une charge, notre dos travaille continuellement. Notre épine dorsale résulte d'une architecture fascinante associant les os, les articulations, les muscles et les tendons. Il s'agit également d'une pièce maîtresse du système nerveux central, car le canal rachidien abrite la moelle épinière. Or, cette imbrication complexe d'éléments indispensables à notre équilibre est malheureusement souvent le lieu de toutes sortes de douleurs. Apprenez, en ayant recours à des exercices simples, à lutter contre les problèmes de dos.

Consacrez un peu de temps à une lecture détaillée de notre petit guide. Vous pourrez ainsi vous faire une idée générale de votre anatomie et comprendre précisément les raisons du mal de dos.

Et les muscles ?

Une musculature souple, résistante et harmonieuse est indispensable à un dos bien portant. Le second chapitre de notre guide vous propose donc quelques exercices simples d'étirement et d'assouplissement, tandis que le troisième chapitre vous offre plusieurs possibilités de faire travailler vos muscles, dans le but de les développer. Les explications et les illustrations claires vous permettront d'effectuer les exercices avec une grande aisance.

Votre programme individuel

Il est important de choisir les exercices qui vous sont le plus adaptés. Le dernier chapitre a donc pour objectif la mise au point de programmes d'exercices d'une durée de 30 minutes chacun, destinés à tous ceux qui sont souvent assis et debout. Dès que vous serez familiarisé avec ces mouvements, vous pourrez facilement enrichir votre entraînement physique, afin qu'il vous soit plus facile de l'intégrer à votre quotidien.

Lisez et lancez-vous !

Vous pouvez même vous entraîner physiquement lorsque vous lisez.

Info

LES HAUTS ET LES BAS

Lorsque vous faites travailler votre corps, vous développez forcément vos muscles. Mais lorsque vous manquez d'activité physique, ceux-ci ont tendance à s'atrophier rapidement !

➤ En conséquence : soyez quotidiennement fidèle à votre exercice physique, même lorsque vous pensez avoir atteint votre objectif. Un dos parfaitement sain, libéré des douleurs, a besoin de rester actif.

La nature a un sens aigu de l'économie. Ce dont votre corps n'a pas besoin, il l'élimine. Il en est malheureusement de même pour les muscles.

➤ Ne vous immobilisez pas dans une seule et unique position lorsque vous prenez un livre. Commencez par vous allonger, puis poursuivez votre lecture debout. Posez alors votre ouvrage sur le bureau ou bien tenez-le en main.

➤ Percevez-vous votre flux sanguin et la manière dont il réagit au changement de position ? Inspirez profondément et reprenez votre lecture en vous sentant encore plus détendu.

la **colonne vertébrale,** épine dorsale du corps

Une leçon rapide d'anatomie vous permettra de mieux comprendre la manière dont surgissent les maux de dos et pourquoi la colonne vertébrale exerce un rôle primordial.

La colonne vertébrale

… comporte quatre zones de vertèbres :

1. La zone des cervicales est la plus haute. Elle comprend 7 vertèbres qui soutiennent la tête.

2. Vient ensuite la zone des dorsales, qui compte 12 vertèbres dans lesquelles les côtes sont ancrées.

3. Les cinq vertèbres du bas du dos constituent la zone des lombaires.

4. La dernière zone est composée du sacrum avec le coccyx pour appendice.

Les quatre zones de notre dos comprennent en tout 24 vertèbres reliées entre elles par des articulations, qui sont indispensables à la mobilité du buste, mais qui sont également souvent sujettes à l'arthrose et à l'arthrite.

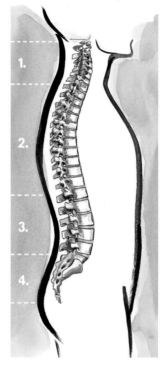

Les amortisseurs

Disposés entre chacune des vertèbres, les disques intervertébraux font office d'amortisseurs. Constitués de fibres cartilagineuses et d'une partie gélatineuse ayant la fonction d'une éponge, ils préviennent les coups et les secousses et maintiennent un espace constant entre les vertè-

bres. La pression à laquelle la colonne vertébrale est soumise pendant la journée, notamment lors des changements de position et de la marche, élimine partiellement l'eau absorbée par les disques intervertébraux pendant la nuit. Avec l'âge, ce phénomène d'absorption perd en intensité, et le corps finit par se tasser, ses amortisseurs deviennent moins efficaces et s'usent progressivement. Mais il est bon de savoir qu'une gymnastique régulière peut ralentir ce processus de vieillissement. Certains exercices visent à faire pression et à étirer les disques intervertébraux, permettant aux fibres de mieux stocker l'eau.

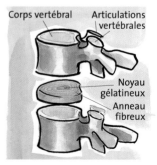

Corps vertébral — Articulations vertébrales
Noyau gélatineux
Anneau fibreux

Vertèbre et disque intervertébral.

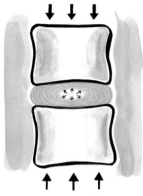

La partie extérieure du disque intervertébral, nommée anneau fibreux, se développe en même temps que les corps vertébraux. Elle stabilise la colonne vertébrale et maintient en son centre le noyau gélatineux à l'effet d'amortisseur.

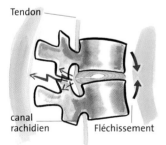

Tendon

canal rachidien   Fléchissement

La hernie discale : le noyau gélatineux fait saillie hors de l'anneau fibreux et peut faire pression sur un nerf rachidien. Ce phénomène résulte souvent du fait que la colonne vertébrale fournit des efforts continuellement trop importants ou bien soudains.

Les déclencheurs du mal de dos

● Les faiblesses musculaires et le fait de porter continuellement des charges sur une seule épaule constituent les causes les plus fréquentes de problèmes de dos. Les articulations vertébrales sont alors en situation de trop forcer, et les muscles se contractent. La position assise pendant plusieurs heures, est une cause caractéristique de contractures musculaires chroniques.

● La surcharge pondérale est contre-indiquée pour le bon maintien de la colonne vertébrale.

● Les situations de stress favorisent les contractures musculaires au niveau des muscles des épaules et de la nuque.

● Les accidents, les traumatismes et les fractures osseuses peuvent souvent déclencher, même plusieurs années après, des douleurs sérieuses.

● Lors de blessures sévères à la colonne vertébrale (accident de voiture et chute), les inflammations articulaires provoquent de fortes contractures musculaires.

Info

MINI-GLOSSAIRE

Celui-ci vous permettra de mieux comprendre certaines expressions consacrées.

Arthrose : usure du cartilage de l'articulation.

Arthrite : inflammation de l'articulation.

Inflammation : irrigation forte d'un tissu abîmé, réaction défensive de l'organisme.

Fracture : cassure osseuse.

Lumbago : luxation aiguë au niveau des lombaires.

Sciatique : douleurs au niveau du nerf sciatique.

Hernie discale : le noyau gélatineux fait saillie hors de l'anneau fibreux.

Protrusion discale : le noyau gélatineux se bombe.

Scoliose : déviation sur le côté de la colonne vertébrale.

Syndrome : plusieurs signes de maladie (symptômes).

Ceci résulte d'un mécanisme de protection nécessaire : le corps tente de résoudre le problème à sa façon. D'où des postures inadaptées.

Être assis, debout, ou soulever

Droit et actif

L'école du dos classique enseigne comment être assis, debout ou bien porter une charge en maintenant le dos bien droit. Il est vrai que rester assis en se tenant droit, ménage le dos. Or ceci n'est pas suffisant.

L'école du dos moderne envisage, quant à elle, la position assise de manière plus dynamique. Elle considère que vous êtes convenablement assis lorsque vous restez simultanément actif.

Expérience

1. Plongez-vous en pensée dans votre corps. Percevez précisément la manière dont vous êtes assis en ce moment, si vous croisez les jambes ou bien si vous penchez la tête sur le côté.
2. Vous modifiez alors instantanément votre posture : vous redressez le dos et décroisez les jambes.

Votre regard s'oriente droit devant vous et vous relevez le menton.
3. Contractez vos muscles pendant quelques secondes. Pressez par exemple vos pieds contre le sol ; contractez le dos et le ventre de sorte que vous vous redressiez ; les mains s'appuient sur les cuisses.
Important : continuez de respirer calmement. Ne retenez jamais votre souffle ! - - - - - - - - - - - - -

4. Cherchez maintenant une nouvelle fois une position confortable et reprenez votre lecture.
Félicitations ! Vous venez d'apprendre comment vous asseoir activement.

Bien s'asseoir

➤ Modifiez régulièrement votre posture au bout de plusieurs minutes.
➤ Tendez vos muscles le plus souvent possible. Ne gardez pas la même posture plus de dix minutes. Exemple : après avoir regardé pendant dix minutes l'ordinateur vers la gauche, tour-

nez la tête quelques secondes complètement vers la droite. La pratique de l'assise active est invisible. Vos collègues de travail ne remarqueront même pas que vous faites une sorte de gymnastique.

La station debout dynamique

Le fait de rester longtemps debout, que ce soit derrière la caisse enregistreuse ou à l'accueil d'un magasin, est à l'origine, au bout d'un certain temps, de bien des douleurs. « J'ai le dos rompu » est le symptôme exprimé le plus couramment. Vous pouvez lutter contre :

➤ Contractez vos muscles de temps à autre. Redressez-vous soudainement pour activer les muscles du dos et les abdominaux.

➤ Lors de travaux ménagers importants, levez alternativement une jambe, puis l'autre (à 20-30 cm au-dessus du sol). Cette manière changeante de vous tenir debout est un bienfait pour votre dos !

Apprenez à bien soulever

Pour apprendre à soulever des charges, il est nécessaire de vous entraîner préalablement. C'est seulement lorsque vous aurez pratiqué l'exercice à plusieurs reprises que vos muscles seront suffisamment robustes pour passer à l'action.

1. Tenez-vous debout biendroit, jambes ouvertes et pointe des pieds légèrement tournée sur le côté.

2. Fléchissez ensuite les jambes de même que la partie supérieure du corps : votre buste bien droit se penche en avant et les bras sont tournés en direction du sol.

3. Soulevez un objet léger.

4. Redressez-vous puis expirez. Le dos reste toujours bien droit ! L'impulsion nécessaire au fait de se redresser provient des jambes et surtout pas des bras ni des épaules.

Après avoir pratiqué cet exercice à plusieurs reprises, vous pouvez augmenter progressivement le poids de la charge.

Un nouveau **sentiment**

de bien-être
Souple, détendu, mobile

Après une journée de travail de huit ou dix heures, vos muscles sont raides. La nuque vous fait souffrir et vous avez un mal fou à bouger la tête librement. Les employés de bureau et les accrocs de l'ordinateur ne sont pas les seuls à subir les méfaits d'un quotidien proposant continuellement la position assise. Ce chapitre vise donc à vous prodiguer quelques conseils pour vous aider à lutter contre ces habitudes physiquement contraignantes. Il vous faudra d'ailleurs les appliquer dès le saut du lit.

Quelques conseils précieux

Prêt ?

➤ Portez des vêtements confortables.

➤ Faites les exercices pieds nus ou en chaussures de gymnastique.

➤ Ayez à votre disposition un tapis de sol ferme et un oreiller plat pour votre tête.

➤ Chantez vos chansons préférées et ne vous laissez pas déranger.

Partez !

➤ Commencez par des exercices d'échauffement (cf. conseil).

➤ Soyez attentif à la position de départ.

➤ Concentrez-vous bien pendant le déroulement des exercices.

➤ Respirez toujours calmement et régulièrement.

➤ Pour chaque partie du corps, vous devez effectuer 2 à 3 séries d'exercices comprenant entre 10 et 15 répétitions. Faites une pause d'une minute entre les séries.

➤ Lors des exercices d'étirement ou de tension musculaire, respectez bien la durée de la posture à tenir.

➤ Consacrez-vous à cet entraînement physique 2 à 3 fois par semaine.

Concoctez-vous votre programme

Vous n'êtes évidemment pas obligé de faire tous les exercices proposés dans ce guide.

➤ Arrangez-vous pour piocher plusieurs exercices dans chaque chapitre. Évitez ceux qui ne font travailler qu'un seul côté du corps. Changez d'exercices toutes les 4 ou 5 semaines.

➤ Votre entraînement quotidien ne devrait pas dépasser les 30 minutes. Reportez-vous aux deux conseils qui vous sont donnés à partir de la page 41.

Soyez prudent lors

● de douleurs vives
● d'infection
● de fièvre
● d'un état de fatigue généralisé
● d'une absorption de médicaments ou d'alcool

Dans ces cas-là, il est préférable de passer votre tour pour l'entraînement physique. Si vous avez des doutes, parlez-en avec votre médecin.

Conseil

ÉCHAUFFEZ-VOUS !

● Avant de commencer votre entraînement physique, pensez toujours à faire 5 minutes d'échauffement. Cette phase prépare votre organisme en douceur et protège vos muscles des blessures. Les exercices d'étirement ne sont pas forcément adaptés à la phase d'échauffement.

➤ Marchez ou courez sur place. Activez fortement vos bras et respirez profondément.

➤ Un tour en vélo ou bien la montée d'un escalier de 5 étages font également parfaitement office d'échauffement.

● Si vous avez quelques kilos superflus, l'échauffement est un excellent moyen pour éliminer des calories. Comptez alors, dans ce cas, une première phase de 15 à 20 minutes et une seconde phase de même durée consacrée aux exercices de gymnastique. Les plus soucieux de leur ligne peuvent adopter le programme en trois parties : 15 minutes d'échauffement – 15 minutes de gymnastique – 15 minutes d'exercices de détente. C'est de loin la manière la plus efficace de chasser les rondeurs !

la **chiro-gym-nastique**

La chirogymnastique constitue un moyen efficace et doux de « dérouiller » la colonne vertébrale. Les mouvements simples de rotation et de fléchissement qu'elle propose permettent de redonner de la souplesse aux articulations du rachis.

Dans le lit

Tous les exercices se font en position couchée sur le dos, et peuvent donc être repris au lit.

Exercice 1

1. Allongez-vous sur le dos, après avoir glissé un oreiller plat à la hauteur de votre tête. Les bras reposent le long du corps, la paume des mains face au sol.
2. Tirez rapidement sur le talon droit puis sur le talon gauche en alternance. Le mouvement doit venir du bassin et les jambes restent bien tendues.
Continuez de respirer calmement.

Exercice 2

1. Levez la jambe droite en la fléchissant, puis reposez-la dans sa position de départ.
2. Effectuez le même mouvement avec la jambe gauche.
Alternez de cette façon jambe gauche et droite.

Exercice 3

1. Ouvrez les bras sur le côté, paume des mains face au sol.
2. Levez la jambe droite en la fléchissant, puis posez-la au sol par-dessus la jambe gauche. Le dos et la tête restent bien droits.

3. Maintenez la posture 2 à 3 secondes avant de relever la jambe droite fléchie. Reposez-la ensuite au sol à côté de la jambe gauche.
4. Renouvelez l'exercice en effectuant le même mouvement avec la jambe gauche. Restez concentré pendant l'exercice. Veillez à votre respiration. Vous devez sentir une agréable sensation d'étirement dans le dos.

Exercice 4

1. Ramenez les bras le long du corps.
2. Levez ensuite le plus possible la jambe droite tendue sans la fléchir et maintenez la posture. Attention : Évitez de procéder par à-coups et veillez à ce que votre bassin reste au sol. Ne tirez pas non plus sur la nuque.
3. Changez de jambe, puis alternez jambe droite et gauche.

Info

NOUS SOMMES TOUS APTES À RESPIRER...

... et pourtant ce n'est pas toujours si simple. La respiration est évidemment une mécanique vitale et automatique. Or, il arrive que dans certaines situations de stress ou d'effort, nous oubliions complètement de respirer. Lorsque nous faisons du sport, nous pouvons également nous sentir parfois à bout de souffle, et ceci parce que nous avons retenu notre respiration pendant l'exercice.

Quelle est la bonne respiration lors de la pratique du sport ? Celle-ci dépend du type de sport pratiqué :

➤ Pendant l'échauffement et les exercices d'endurance, la respiration se règle automatiquement.

➤ Lors d'exercices de gymnastique simples, il suffit de respirer calmement et régulièrement.

➤ Veillez à toujours bien expirer lors d'un effort, par exemple lorsque vous levez une jambe.

Exercice 5

1. Ouvrez largement vos bras sur le côté, paume des mains face au sol.

2. Levez la jambe droite tendue et posez-la au sol par-dessus la jambe gauche.

3. Maintenez la posture 2 à 3 secondes, puis relevez de nouveau la jambe droite et allongez-la ensuite à côté de la jambe gauche.

4. Renouvelez l'exercice en effectuant le même mouvement avec la jambe gauche.

Les dorsales et les cervicales

Les deux exercices suivants vous permettront d'assouplir les vertèbres dorsales et cervicales de manière ludique. Attention : ils doivent être effectués lentement et nécessitent une bonne concentration. La partie supérieure de la colonne vertébrale est particulièrement sensible. Traitez-la donc avec le plus grand ménagement possible. Les mouvements doivent évoluer sans subir d'à-coups. Ne soyez ni pressé ni tendu !

Exercice 6

1. Allongez-vous sur le dos après avoir glissé un oreiller plat à la hauteur de votre tête.

2. Fléchissez les jambes en maintenant les talons au sol, de sorte que vos lombaires reposent bien à plat sur le tapis.
3. Levez ensuite les bras tendus en direction du plafond.
4. Étirez alternativement chacun de vos bras vers le haut. Pendant l'exercice, soyez réceptif aux mouvements des deux omoplates.

Exercice 7

1. Ouvrez largement vos bras, paume des mains face au sol.
2. Ramenez doucement le bras droit tendu sur le bras gauche.

Le mouvement s'achève dès que vos deux mains sont superposées. L'épaule droite se surélève légèrement. Vous pouvez tourner la tête dans le même sens ou bien dans le sens opposé.
3. Ramenez le bras droit au sol en position de départ, de même que votre tête.
4. Renouvelez l'exercice en changeant de bras.

Conseil

Lors d'un lombago,

... la position couchée sur le dos, jambes fléchies et talons au sol est très apaisante. Mais il est recommandé de :

➤ vous allonger sur un tapis de sol chaud après avoir disposé un oreiller à la hauteur de votre tête. Levez ensuite les jambes et posez-les sur une chaise, de sorte que cuisses et jambes forment un angle droit. Maintenez cette posture pendant une heure.

Après ce moment de détente, il est vivement recommandé de vous activer physiquement. La position qui vient d'être décrite est uniquement conçue pour soulager la douleur !

Des exercices de
stretching

Les exercices d'étirement sont excellents pour le dos, car les muscles atrophiés empêchent de se tenir bien droit. Si vous avez le dos rond, la pression exercée sur les disques intervertébraux est encore plus forte. Les enfants sont souvent atteints d'atrophie musculaire ! Il en résulte à long terme des problèmes de dos et un manque de mobilité. Faites en sorte d'assouplir vos muscles régulièrement.

Exercice 1

1. Mettez-vous debout, bien droit et laissez pendre les bras le long du corps, ou bien posez les mains sur les hanches.
2. Faites une fente arrière avec la jambe droite. Le talon du pied droit repose complètement au sol. La jambe gauche est légèrement fléchie.
3. Avancez votre bassin le plus possible vers l'avant, jusqu'à ressentir une nette sensation d'étirement dans le mollet droit.

La jambe droite reste tendue pendant le déroulement de l'exercice.
4. Maintenez la posture pendant une minute.
5. Renouvelez l'exercice en changeant de jambe.

Info

Talons aiguilles ou basket ?

Nombreuses sont les femmes portant des talons hauts, dont les muscles des mollets sont atrophiés. En outre, ce type de chaussures les empêche d'effectuer beaucoup de mouvements naturels, d'où des contractures musculaires, situées notamment au niveau du dos. Par ailleurs, les chaussures à talons aiguille font pression sur la partie avant du pied et perturbent la circulation sanguine.

➤ Quelles sont les chaussures idéales ? Il est en fait recommandé d'en changer le plus souvent possible. Portez des talons hauts, lorsque vous ne devez pas marcher, ni rester longtemps debout. Si les escarpins font partie de votre tenue de travail, pensez à les ôter de temps à autre pour favoriser la circulation sanguine. Si vous devez marcher ou rester debout de manière prolongée, portez des chaussures plates et confortables, et pendant votre entraînement physique, enfilez des chaussures de gymnastique !

Des fesses bien fermes...

… ne répondent pas uniquement aux critères esthétiques de notre époque. Les muscles fessiers sont égalementindispensables à notre maintien.

Ils participent, en outre, à tous les mouvements des hanches.

Exercice 2

1. Mettez-vous en position assise sur le tapis de sol, dos bien droit. Veillez à la bonne tenue de votre dos pendant toute la durée de l'exercice.

2. Ramenez la jambe droite par-dessus la jambe gauche. La jambe gauche reste tendue sur le sol.

3. Attrapez des deux mains votre genou droit et tirez-le vers votre épaule gauche. Vous percevez alors une sensation d'étirement dans le muscle de la fesse droite.

4. Maintenez la posture 30 à 60 secondes, puis renouvelez l'exercice en changeant de jambe.

Exercice 3

1. Allongez-vous sur le dos et fléchissez les jambes, talons au sol.

2. Levez la jambe gauche toujours pliée.

3. Ramenez ensuite votre jambe droite devant la jambe gauche en plaçant la cheville droite sur la cuisse gauche.

4. Saisissez la jambe gauche des deux mains et tirez-la fermement vers votre buste.

Vous percevez alors une nette sensation d'étirement dans le muscle fessier de droite.

Maintenez la posture 30 à 60 secondes, puis renouvelez l'exercice en changeant de jambe.

Conseil

SI VOUS NE RESSENTEZ PAS D'ÉTIREMENT...

... ce n'est pas une raison suffisante pour vous affoler. Il y a plusieurs causes possibles à cela :

➤ Vérifiez que vous avez adopté la bonne position de départ. Celle-ci est déterminante pour un assouplissement maximum de la musculature.

➤ Les groupes de muscles ne souffrent pas tous d'atrophie de la même manière : ceci explique une moindre sensation d'étirement.

➤ Important : Découvrez de nouvelles perceptions physiques et plongez mentalement à l'intérieur de vous-même. Si vous faites travailler les muscles antérieurs de vos cuisses, par exemple, concentrez-vous sur ce groupe musculaire pendant l'exercice.

Si vous n'êtes pas suffisamment attentif, votre exercice perdra en efficacité et vous exposera à des risques de froissement musculaire. Soyez donc vraiment concentré sur ce que vous faites pendant les étirements.

EXERCICE DE CONCENTRATION

Apprenez à vous concentrer grâce à l'exercice suivant :

1. Asseyez-vous, dos bien droit. Respirez une fois profondément.

2. Tendez une jambe devant vous en contractant vos muscles fermement pendant quelques secondes.

3. Relâchez ensuite et soyez attentif aux muscles de votre jambe. Caressez en même temps votre cuisse de la main.

Cet exercice vous aidera à prendre conscience de chacun de vos muscles. Renouvelez-le en faisant travailler tour à tour les grands groupes musculaires.

Exercice 4

1. Allongez-vous sur le dos, la tête légèrement surélevée, jambes tendues et pointe de pieds tournée vers vous.

2. Levez la jambe droite tendue au-dessus de vous. Attrapez votre cuisse par-derrière en vous aidant des deux mains.

3. Essayez de tirer votre jambe vers vous au maximum. Vous ressentez alors un étirement dans le muscle postérieur de la cuisse.

4. Maintenez la posture 30 à 60 secondes, puis renouvelez l'exercice en changeant de jambe.

Les cuisses

Consacrez du temps aux muscles postérieurs de la cuisse. Certains enfants souffrent déjà d'importantes atrophies musculaires à cet endroit ! Il en résulte chez tous ceux qui sont concernés une forte pression exercée sur les disques intervertébraux.

Si vous ne parvenez pas à tirer la jambe vers vous, renouvelez l'exercice plusieurs fois.

Exercice 5

1. Ramenez la jambe droite fléchie vers vous.

2. Attrapez-la à l'aide des deux mains à la hauteur du genou et tirez-la fermement vers votre buste. La jambe gauche doit rester tendue au sol. Vous faites ainsi travailler simultanément les muscles fléchisseurs de chaque cuisse.

4. Maintenez la posture 60 secondes, puis renouvelez l'exercice en changeant de jambe.

Les quadriceps…

… sont des faisceaux musculaires situés à l'avant des cuisses qui permettent la mobilité au niveau des hanches et le fait de pouvoir tendre le genou.

Exercice 6

1. Mettez-vous debout, dos bien droit. Fléchissez la jambe droite et attrapez-la à l'aide de votre main droite au niveau de l'articulation du pied.

2. Pressez fortement le talon contre la fesse. Vous percevez alors un étirement dans la partie antérieure de la cuisse.

4. Maintenez la posture 30 à 60 secondes, puis renouvelez l'exercice en changeant de jambe.

Comment remédier au dos rond ?

Le dos rond et les épaules tournées vers l'intérieur occasionnent perpétuellement des problèmes de dos.

C'est surtout dans la position assise que nous avons tendance à nous voûter. Nous relevons alors les épaules et contractons la nuque.

Chez les femmes, un tour de poitrine important peut également générer des maux de dos. Le poids des seins se répercute sur les muscles des épaules et de la nuque qui se contractent, tandis que ceux du buste s'atrophient. Il faut donc prendre soin de les entraîner régulièrement.

Exercice 7

1. Mettez-vous debout dans l'encadrement d'une porte.

2. Levez le bras droit à l'horizontale et appuyez la paume de la main ainsi que votre avant-bras sur le chambranle de la porte.

3. Avancez la jambe droite, légèrement fléchie.

4. Faites nettement pression avec l'épaule droite vers l'avant jusqu'à ressentir un étirement dans la partie droite du buste.

5. Maintenez la posture 60 secondes, puis renouvelez l'exercice en changeant de bras.

Étirement des muscles de la nuque et du cou

Les muscles de la nuque et du cou servent de support à la tête. En outre, ils enrobent et protègent les artères et les nerfs. Lorsqu'ils sont contractés, la circulation sanguine se fait moins bien, occasionnant des migraines ou des étourdissements. Une pression exercée sur les nerfs peut provoquer une moindre mobilité des mains et des picotements dans les doigts.

Exercice 8

1. Mettez-vous debout ou bien assis bien droit (posture neutre, cf. illustration ci-contre 7.1).
2. Penchez légèrement la tête en avant. Tirez le menton vers le buste, comme si vous souhaitiez former un double menton.
3. Faites pression fermement avec le menton vers l'avant.
4. Maintenez la posture 60 secondes, puis relâchez. Vous ressentez lors de l'effort un étirement de la partie avant de votre cou. Vous étirez simultanément les muscles profonds de la nuque.

Exercice 9

1. Adoptez la position de départ neutre, comme dans l'exercice 7.
2. Penchez légèrement la tête en avant.
3. Tirez la tête vers la gauche en abaissant simultanément l'épaule droite.
Vous percevez alors un léger étirement sur le côté droit de la nuque. Maintenez la posture 30 secondes, puis renouvelez l'exercice en changeant de côté.
4. Penchez ensuite votre tête légèrement en arrière.

5. Étirez votre cou en tirant de nouveau la tête vers la gauche et en abaissant simultanément l'épaule droite.
6. Maintenez la posture 30 secondes, puis renouvelez l'exercice en changeant de côté.

Exercice 10

1. Adoptez la position de départ neutre, comme dans l'exercice 7.
2. Tirez la tête vers la gauche sans la pencher ni l'étirer excessivement. L'épaule droite s'abaisse fermement de nouveau. Vous percevez cette fois un étirement sur le côté gauche de votre cou.
3. Maintenez la posture 30 secondes, puis renouvelez l'exercice en changeant de côté.

Position neutre 7.1

Exercice 8.1

Exercice 9.3

Exercice 10.2

Un dos enfin **robuste !**
Des muscles toniques

Les muscles toniques constituent le b.a. ba d'un dos sain. Il n'est pas indispensable de s'adonner à la pratique du body-building, car ressembler à « monsieur muscle » n'est certes pas une obligation pour qui que ce soit. Il suffit simplement de faire des exercices réguliers. Quelques minutes par jour font largement l'affaire. Au diable les haltères trop lourds. Suivez plutôt les explications des exercices bien ciblés.

Suivez le bon
entraînement

Notre corps comporte plus de 600 muscles qui fonctionnent tous selon le même principe. Les acides aminés et les protéines sont les éléments de base. L'actine et la myosine s'imbriquent et se repoussent et sont à l'origine de ce qu'on appelle la contraction musculaire. Les nerfs sont les donneurs d'ordre et le sang apporte l'énergie nécessaire.

On distingue les muscles striés, volontaires, présidant à la mobilité de notre buste et de nos membres et les muscles lisses, viscéraux, des organes.

Force et muscles

Nous pouvons, bien sûr, faire travailler les muscles striés, mais il n'est pas nécessaire d'avoir de gros biceps pour être costaud ! Il faut savoir qu'il existe deux types de muscles striés : les muscles blancs, qui président aux mouvements rapides, et les muscles rouges, indispensables au travail de maintien.

Les muscles blancs et les muscles rouges

● Les muscles rouges président au maintien et à la statique. Ils sont efficaces grâce à leur capacité d'endurance et non du fait de leur volume. Ils servent d'appui à la colonne vertébrale.

● Les muscles blancs ou rapides sont essentiels lors d'un sprint ou bien d'un saut en longueur. La colonne vertébrale a besoin de muscles blancs bien toniques pour supporter les charges quotidiennes, comme par exemple lors du port des packs de bouteilles d'eau minérale. Nous devons donc les faire travailler régulièrement.

L'exercice est essentiel !

Nos muscles poursuivent leur travail jusqu'à un à deux jours après l'entraînement ! Mais cet effort se maintient uniquement si nous reprenons l'exercice 2 à 3 jours plus tard. Dans le cas contraire, les muscles perdent complètement leurs acquis en

┌─Conseil─┐

L'ENTRAÎNEMENT AU QUOTIDIEN

S'activer au quotidien, c'est tout simple :

➤ Il est facile et ludique de parcourir 1 km à pied ou en vélo.

➤ Vous avez la possibilité d'éviter l'ascenseur et de grimper vos escaliers. Évitez les escaliers roulants.

➤ Vous n'avez pas besoin de rester continuellement assis devant votre bureau de travail. Utilisez l'espace de la pièce. Arrangez-vous pour vous lever régulièrement. Ceci est une manière astucieuse de vous activer physiquement. Vous améliorez ainsi votre circulation sanguine et donc le bon fonctionnement de vos neurones. Nombreux sont les « penseurs » qui travaillent en station debout ou qui font les cent pas. Sachez qu'en vous activant de la sorte, vous facilitez le fonctionnement de votre intestin.

moins de 7 jours. Répondez donc au mieux à la demande de votre corps qui exige de s'activer 2 à 3 fois par semaine pendant 30 minutes environ. Ce temps n'est pas énorme comparé à celui que vous passez devant la télévision, l'ordinateur etc.

Faites travailler
vos abdominaux

Les abdominaux et les muscles du dos participent à la stabilisation de la colonne vertébrale. Afin d'équilibrer votre entraînement physique, vous devriez toujours penser à faire travailler ces deux groupes de muscles.

L'entraînement statique

Exercice 1

1. Allongez-vous sur le dos, la tête un peu surélevée.
2. Fléchissez légèrement les jambes, pieds au sol.
3. Ramenez la pointe des pieds vers vous et pressez les talons au sol.

4. Levez les épaules puis dirigez les bras vers l'avant comme si vous exerciez une résistance.
5. Tournez votre regard en diagonale vers le plafond. Tirez légèrement le menton vers le buste. (Position de départ).
Maintenez la posture 8 à 10 secondes. Continuez de respirer calmement. Vous percevez un étirement au niveau des abdominaux et peut-être aussi dans la nuque.
6. Allongez-vous de nouveau et marquez une pause de 30 secondes.
Renouvelez l'exercice 2 ou 3 fois.

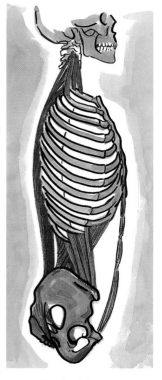

Les muscles et les abdominaux servent ensemble d'appui à la colonne vertébrale. Le relâchement excessif des abdominaux peut occasionner une lordose.

Exercice 2

1. Allongez-vous sur le dos, jambes fléchies, pointe des pieds ramenée vers vous et talons fermement au sol.

2. Levez la tête et les épaules au-dessus du sol, bras dirigés devant vous.

3. Ramenez la jambe droite fléchie (en angle droit avec la cuisse) vers votre buste.

4. Faites pression avec votre main gauche sur le genou droit.

5. Maintenez la posture 8 à 10 secondes, puis relâchez l'effort et allongez-vous.

6. Renouvelez l'exercice en changeant de côté : faites alors pression avec la main droite sur le genou gauche.

Exercice 3

1. Reprenez la position de départ de l'exercice précédent.

2. Levez la tête et les épaules au-dessus du sol, bras dirigés devant vous.

3. Ramenez l'une après l'autre les jambes fléchies (en angle droit avec la cuisse) vers votre buste, et faites pression simultanément avec les deux mains sur les deux genoux.

4. Maintenez la posture 8 à 10 secondes, puis renouvelez l'exercice 2 ou 3 fois.

Conseil

RESPIRATION ET TENSION ARTÉRIELLE

Prenez soin de respirer convenablement pendant la durée des exercices. Il est important de respirer calmement et profondément pendant le déroulement des exercices de musculation. Si vous retenez votre souffle, vous faites grimper votre tension artérielle !

Si votre tension est naturellement élevée, consacrez-vous plutôt aux exercices dynamiques de la page 26.

Les exercices dynamiques

Les exercices dynamiques répondent aux exercices statiques et les complètent. Les exercices de maintien statique permettent de gagner en force musculaire très rapidement : quelques jours suffisent. Les exercices dynamiques, en revanche, vous mettent continuellement en mouvement. Ils viennent compléter le travail précédent et préparent vos muscles à leur activité quotidienne.

Exercice 1

1. Allongez-vous sur le dos, jambes fléchies, pointe des pieds vers vous et talons au sol.

2. Levez les épaules, la tête et les bras tendus au-dessus du sol en expirant.

3. Tournez votre regard en diagonale vers le plafond.

4. Allongez-vous de nouveau en inspirant.

Suffisamment costaud ?

Pour réaliser convenablement cet exercice, vous devez être en mesure de lever au-dessus du sol la partie supérieure de votre corps, ainsi que les omoplates. Si vous n'y parvenez pas, commencez d'abord par les exercices des pages 24 et 25.

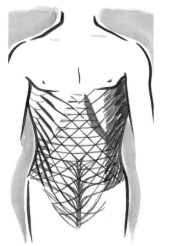

Les muscles obliques et droits de l'abdomen sont indispensables au bon maintien du dos et de la paroi abdominale. Ils doivent donc être toniques et résistants.

Conseil

UNE NUQUE LONGUE

Il est important, et particulièrement lorsque vous effectuez les exercices abdominaux, de savoir bien tenir la tête. Celle-ci ne doit ni pencher en arrière, ni partir en avant.

➤ Tirez légèrement votre menton vers votre buste pour étirer la nuque en longueur.

Exercice 2

1. Reprenez la position de départ de l'exercice précédent (cf. page 26). Croisez les bras sur votre buste.

2. Levez la tête et les épaules au-dessus du sol en expirant.

3. Allongez-vous de nouveau en inspirant. Effectuez cet exercice de manière dynamique, c'est-à-dire sans faire de pause entre les mouvements d'efforts et de relâche.

Conseil

LES ALTERNATIVES

Si la gymnastique ne vous convient pas du tout :

➤ Faites du mountain-bike. C'est un sport très riche qui favorise le travail de l'endurance musculaire et de la coordination. Veillez au positionnement de votre corps (cf. page 26). Le guidon et la selle doivent être réglés à bonne hauteur et le port d'un casque est indispensable !

➤ Le roller en ligne et le jogging sont deux excellents sports d'endurance. Les mouvements en diagonale des bras et des jambes favorisent le travail des muscles profonds du dos - qui servent de soutien à la colonne vertébrale. Important : le roller en ligne nécessite le port d'un casque et de jambières.

Exercice 3
pour les sportifs confirmés

1. Reprenez la position de départ des deux exercices précédents, en étirant cette fois, les bras au-dessus de la tête. Les bras et le buste sont parfaitement alignés. Renouvelez l'exercice 8 à 10 fois.

Avoir
un ventre plat...

… c'est possible si vous faites travaillez vos abdominaux de manière soutenue et que vous pratiquez un sport d'endurance vous permettant d'éliminer les kilos superflus. Une alimentation saine, un sport d'endurance et un travail musculaire régulier sont les clés de la santé et du ventre plat.

Exercice 4

1. Allongez-vous sur le dos avec un oreiller plat à la hauteur de la tête, jambes pliées, talons au sol.
2. Fléchissez les bras de chaque côté du corps.
3. Levez la tête et les épaules au-dessus du sol, de sorte que le coude gauche touche le genou droit. Tirez légèrement le menton vers le buste.
4. Revenez dans la position de départ, puis renouvelez l'exercice en changeant de côté : c'est le coude droit, cette fois, qui doit toucher le genou gauche.

Exercice 5

1. Reprenez la position de départ de l'exercice précédent.
2. Levez la tête et les épaules au-dessus du sol. Tendez simultanément votre bras gauche et votre jambe droite.
3. Touchez rapidement la pointe du pied droit avec la main gauche.
4. Renouvelez l'exercice en changeant de côté.

Les abdominaux, encore et toujours...

On divise le muscle grand droit des abdominaux en segments supérieurs et segments inférieurs. Les segments supérieurs travaillent lorsque le buste effectue des mouvements orientés vers la partie inférieure du corps. En revanche, les segments inférieurs sont sollicités lors des mouvements inverses.

Exercice 6

1. Allongez-vous sur le dos après avoir placé un oreiller plat au niveau de la tête. Les bras reposent le long du corps, paume des mains au sol.

2. Levez l'une après l'autre les jambes fléchies au-dessus de vous et croisez-les.

3. Levez simultanément les deux jambes fléchies en oblique, de sorte que le bas du dos et les fessiers s'élèvent au-dessus du sol. Expirez fortement en effectuant ce mouvement, puis inspirez en relâchant.

Exercice 7

1. Adoptez la position de départ de l'exercice précédent.

2. Ne croisez pas les jambes, mais au contraire tendez-les.

3. Levez-les à la verticale, de sorte que le bas du dos et les fessiers s'élèvent au-dessus du sol, en pressant bras et mains sur le tapis de sol.

Faites travailler votre dos

Les grands classiques de l'école du dos

Le dos est constitué de muscles profonds et de muscles superficiels. Les muscles profonds jouent un rôle primordial, car ils fixent la colonne vertébrale et président au maintien.

La position la plus classique pour suivre un entraînement des muscles du dos consiste à être allongé sur le ventre. Cette position est même fortement recommandée pour faire des exercices sans accentuer les douleurs.

Position de départ

1. Allongez-vous sur le ventre. Si vous souffrez d'une lordose importante, disposez un oreiller sous votre ventre. Les bras reposent le long du corps, dos de la main face au sol.

2. Ramenez la pointe des pieds vers vous et faites pression sur le tapis avec les orteils.
3. Levez la tête et les épaules. Le nez doit être orienté vers le tapis.

Exercice 1

1. Levez les bras au-dessus du sol et pagayez en alternant l'un et l'autre. Respirez calmement.
2. Poursuivez ce mouvement 30 à 60 secondes. Relâchez ensuite en reposant tête, épaules et bras sur le tapis.

Exercice 2

1. Adoptez la position de départ décrite précédemment. Ouvrez les bras sur le côté, paume des mains face au sol.
2. Levez et abaissez les bras pendant 60 secondes comme le ferait un oiseau en vol.

Exercice 3

1. Adoptez la position de départ décrite à la page précédente. Fléchissez les bras de chaque côté de la tête.

2. Tendez alternativement un bras puis l'autre tout en expirant, pendant 30 à 60 secondes.

Exercice 4

1. En position de départ décrite à la page précédente, ramenez les bras tendus devant votre tête en accolant la paume des mains.

2. Pressez fortement les deux mains l'une contre l'autre pendant 10 secondes.

3. Relâchez quelques secondes, puis reprenez l'exercice. Poursuivez-le en alternant effort et relâche pendant 30 à 60 secondes.

Conseil

L'APPUI DE LA TÊTE

➤ Il est très important, pendant le déroulement des exercices, de maintenir votre tête correctement. Ne tirez pas sur le menton, mais ramenez-le au contraire vers la poitrine.

➤ Ne tournez pas la tête sur le côté entre les exercices, mais ramenez les mains sous le front et posez la tête dessus, bien droite.

➤ Prenez soin, pendant la journée, de proposer un appui correct à votre tête : ne la posez pas sur la main, le coude appuyé sur le bureau à gauche ou à droite, mais placez une main directement sous votre menton. C'est la meilleure manière de ménager votre colonne vertébrale.

Quelques exercices excellents pour l'érecteur spinal

L'érecteur spinal fait partie des muscles profonds du dos. Il remonte depuis le bassin jusqu'à la tête avec un point interne situé directement à côté de la colonne vertébrale et un cordon externe à proximité. Ce grand muscle protège et préside à la mobilité de notre épine dorsale. Il est particulièrement actif lors des flexions avant.

Exercice 5

1. Mettez-vous à plat ventre sur une chaise.
2. Tendez les jambes, pointe de pieds au sol ramenée vers vous (position de départ). Pendant tout le déroulement de l'exercice, vos pieds doivent garder le contact avec le sol.

3. Croisez vos bras, paume des mains contre vous.
4. Soulevez légèrement votre buste en expirant. Relâchez en inspirant. Votre mouvement doit être léger. Vous ne devez pas vous cambrer. Effectuez 10 à 15 répétitions par série.

Exercice 6

1. Adoptez la position de départ précédemment décrite.
2. Tendez les bras devant la tête en accolant la paume des mains.
3. Levez légèrement votre buste en expirant puis relâchez en inspirant.

Dans l'autre sens

Chaque muscle est pourvu de deux extrémités. Il est donc possible de les faire travailler dans deux sens différents : d'un côté vers l'autre ou inversement. Si l'explication vous paraît compliquée, sachez que son application, quant à elle, est très simple. Les exercices que vous venez de suivre vous ont permis de faire travailler votre buste, tandis que vos jambes restaient au sol. Vous avez donc activé la partie supérieure (tête) de l'érecteur spinal vers sa partie inférieure (bassin). Les exercices suivants sont donc destinés à mobiliser les jambes, alors que le buste reste inactif. Essayez de bien percevoir la différence de sensation. Mais sachez au bout du compte que vos efforts contribuent à faire travailler un seul et même muscle !

Exercice 7

1. Adoptez une nouvelle fois la position de départ décrite à la page précédente, mais les jambes doivent cette fois être fléchies.

2. Tenez-vous fermement à la chaise avec les deux mains.
3. Étirez alternativement une jambe puis l'autre en arrière et vers le haut, en expirant simultanément. Comptez 10 à 15 répétitions par série d'exercices.

Exercice 8

1. Étirez simultanément les deux jambes en arrière et vers le haut.
2. Au bout de plusieurs semaines d'entraînement, essayez d'ôter les mains de la chaise. Tendez alors les deux bras en avant.

L'école du dos
moderne prend tout le corps en compte

L'école du dos moderne vise à proposer des exercices permettant d'entraîner le maximum de muscles, avec au premier plan ceux des jambes, du dos ainsi que les fessiers.

Sur une jambe

La position de départ sur une jambe est idéale dans ce cas de figure. Elle permet de développer simultanément coordination et force musculaire. Si les muscles de votre dos sont particulièrement relâchés, consacrez-vous d'abord essentiellement aux exercices des pages 30 à 33. Vous pourrez développer de bonnes bases de cette façon.

Position de départ

1. Tenez-vous debout en prenant appui sur la jambe droite.
2. Levez en arrière la jambe gauche tendue, pointe de pied tournée vers vous. Pendant l'exercice, vous ne devez pas poser le pied au sol.
3. Votre buste doit rester bien droit. Les bras pendent le long du corps.
4. Contractez les muscles du dos, de même que les abdominaux.

Exercice 1

1. Fléchissez la jambe droite en inspirant. Descendez ainsi de 10-15 cm.
2. Penchez légèrement votre buste vers l'avant et tendez les bras. Veillez à garder le dos bien droit.
3. Redressez-vous en expirant. Répétez ce mouvement entre 10 et 15 fois, puis changez de jambe.

Conseil : Si l'exercice vous paraît très difficile, appuyez-vous d'une main sur une chaise.

L'important dans tous les exercices des pages 34-39 est de se tenir sur une seule jambe. La jambe arrière est tendue et la pointe du pied est tendue vers le haut afin que le pied ne touche pas le sol.

Pour faire travailler le bas du dos

L'exercice suivant vous permettra de faire travailler les muscles du bas du dos de manière très soutenue. Il requiert une bonne concentration.

Exercice 2

1. Adoptez la position de départ décrite précédemment. Veillez à ce que celle-ci soit correcte (cf. page 34). Croisez les mains derrière la tête.

2. Penchez légèrement le buste vers l'avant en inspirant. Gardez le dos bien droit.

3. Revenez en position de départ en expirant.

Ce mouvement comporte une latitude de quelques centimètres seulement. Ne penchez pas trop votre buste. Changez de jambe lors de la prochaine série.

Comme si vous vous envoliez...

Ces exercices ont la vertu d'entraîner l'ensemble de la masse musculaire, en valorisant la zone du dos, des fesses et des jambes. Les mouvements des bras permettent également d'activer les muscles situés entre les omoplates. Vous pouvez facilement vous entraîner n'importe où et même au bureau.

Exercice 3

1. Adoptez la position de départ expliquée page 34.
2. Tendez les bras devant vous en accolant la paume des mains.
3. Redressez les bras d'un coup au-dessus de votre tête en expirant, puis ramenez-les devant vous. Après avoir répété le mouvement plusieurs fois, renouvelez l'exercice en changeant de jambe.

Conseil

LES COURBATURES MUSCULAIRES...

... apparaissent après l'entraînement physique, à moins qu'elles ne soient consécutives à des efforts inhabituels. Il s'agit de déchirures de microstructures à l'intérieur du muscle. Il en résulte une inflammation et les douleurs que vous connaissez bien. On réfute de plus en plus l'hypothèse d'une surproduction d'acidité.

Si les courbatures sont douloureuses, elles sont cependant propices au développement musculaire.

Comment apaiser les douleurs ?

➤ Le baume le plus efficace consiste à effectuer des mouvements doux : courez ou faites du vélo sans forcer, mais ne reprenez surtout pas l'exercice qui a provoqué les courbatures. Offrez-vous un sauna ou bien faites-vous couler un bain chaud. Vous vous sentirez beaucoup mieux après.

Exercice 4

1. Adoptez la position de départ décrite page 34.

2. Tendez de nouveau les bras devant vous en accolant la paume des mains.

3. Écartez largement les bras, puis ramenez-les devant vous. Ce mouvement est semblable à ceux qu'effectuent les grands oiseaux en volant. Faites-le sans à-coup. Respirez réguliè-rement : expirez en ouvrant les bras et inspirez en les rame-nant devant vous.

Exercice 5

1. Adoptez la positon de départ décrite page 34. Les bras pen-dent le long du corps.

2. Tendez alternativement un bras, puis l'autre, vers le haut. Respirez au rythme du mouve-ment des bras.

3. Après avoir répété le mou-vement 10 à 15 fois, changez de jambe. Important : pendant le déroulement de tous ces exer-cices (pages 36 et 37), faites tra-vailler une jambe, puis l'autre.

4. Quand vous souhaiterez pas-ser à la vitesse supérieure, renou-velez cet exercice avec un poids léger dans chaque main.

Nagez le crawl

Exercice 6

1. Adoptez la position de départ décrite page 34 en vous mettant debout sur la jambe droite. Veillez à garder le dos bien droit.
2. Tendez les deux bras au-dessus de la tête.
3. Vous pouvez maintenant procéder aux mouvements de crawl avec les bras : faites-les pivoter l'un après l'autre : Abaissez doucement le bras droit le long du corps avant de le ramener en haut et d'enchaîner avec le bras gauche.
4. Maintenez la tête bien droite, votre regard tourné vers le sol.

- -

Conseil

D'UN ÉTAT TRÈS STABLE À UN AUTRE...

Pour tous les exercices à effectuer sur une seule jambe, il est très efficace de faire évoluer progressivement la stabilité de la position.

➤ Commencez d'abord de manière parfaitement stable. Vos chaussures doivent être fermes et confortables et vous devez bien sûr bannir les hauts talons. Si vous souhaitez vous entraîner au bureau, et que vous portez des escarpins, ôtez-les. Sinon vous risquez de vous faire très mal.

Dès que vous parvenez à effectuer les exercices très facilement, en étant sûr de vous, vous pouvez compliquer un peu la tâche :

➤ Recommencez, mais nu-pieds cette fois. Vous constaterez que l'équilibre est alors plus précaire. Mais avec un peu de pratique, vous serez bientôt aussi à l'aise que bien chaussé.

➤ Vous pouvez ensuite vous tenir à cloche-pied sur un coussin ferme, de canapé par exemple (cf. illustration ci-dessus). Cette difficulté supplémentaire vous permettra de faire travailler coordination et perception physique.

➤ Pour ceux qui sont entraînés : l'étape ultime consiste à vous mettre à cloche-pied sur un skateboard ou sur une boule de thérapie. Vous parviendrez à développer un excellent sens de l'équilibre. Important : Il faut impérativement vous sentir parfaitement à l'aise avant d'enchaîner avec la difficulté suivante.

Des épaules robustes

Il est important d'avoir des
épaules robustes, particulièrement lorsque la profession exige
d'être continuellement en position assise. L'exercice suivant
vous permettra de faire travailler
les bras et les épaules. De cette
façon, vous pourrez lutter
contre les douleurs classiques
sévissant au niveau de la nuque
et des épaules.

Exercice 7

1. Adoptez la position
de départ décrite page 34, puis
ouvrez les bras sur le côté, poings
fermés.
2. Levez alternativement un bras
en l'air puis l'autre, en expirant
au moment de l'extension, et en
inspirant en relâchant.
3. Après avoir répété l'exercice
10 à 15 fois, changez de jambe.
4. Nouveau degré de difficulté :
Prenez un poids léger dans chaque
main et renouvelez l'exercice.

Quels haltères choisir ?

Ces exercices nécessitent deux
petits haltères, dont le poids ne
doit pas être excessif.

➤ La charge idéale est de 1-
1,5 kg pour les femmes,
➤ et de 2,5-3,5 kg pour les
hommes.

Si vous n'avez pas d'haltères à
votre disposition, vous pouvez
aussi bien utiliser deux bouteilles
d'eau minérale.

Info

UN ENTRAÎNEMENT RÉGULIER

...est indispensable si vous sou-
haiter combattre efficacement
les courbatures et les contractures musculaires.

Exemple : vous êtes assis depuis
des heures devant votre ordinateur. Vous commencez à souffrir
sérieusement au niveau de la
nuque et de la tête. Vous vous
consacrez alors un petit moment
de pause pour effectuer quelques exercices dans l'espoir de
soulager les douleurs.

Vous pouvez obtenir deux types
d'effets : soit les exercices ont été
efficaces et vous vous sentez
beaucoup mieux. Tant mieux !
Mais il peut également arriver
que vous ne perceviez aucune
amélioration nette. Cela n'a rien
de très étonnant si vous réservez
la pratique de ces exercices
uniquement aux situations
« d'urgence ».

Il est, en effet, impératif de vous
entraîner régulièrement.
N'interrompez jamais vos efforts
pendant plusieurs semaines :
vous pouvez très bien faire
quelques exercices pendant les
vacances et même lorsque vous
êtes en déplacement professionnel.

Lancez-vous donc !

Concoctez-vous un entraînement à la carte...

*Que ce soit à la maison
ou au bureau, vous pouvez
vous lancer dans la pratique régulière
de votre entraînement, à condition
de suivre convenablement
le programme que vous vous êtes fixé.
Si vous vous y tenez, vous pourrez
bientôt dire adieu à vos problèmes
de dos et vous sentir solide
comme un roc...*

Les **programmes**
à la carte

Cette réflexion qui met l'accent sur le choix d'un programme d'entraînement physique adapté et régulier n'a rien de très nouveau. Dans l'Antiquité, les sportifs s'organisaient déjà un emploi du temps bien précis. Cet aspect est encore déterminant à notre époque pour le succès des sportifs de haut niveau.

Ce chapitre a donc pour objectif de vous proposer deux types de programmes différents, dont l'entraînement est censé durer une trentaine de minutes environ. Si vous préférez le mettre au point vous-même, prenez garde de suivre les indications figurant à la page 11 de notre guide.

Au bureau
ou en déplacement...

Il est parfaitement possible de suivre un entraînement physique régulier au bureau ou bien en déplacement professionnel. Choisissez alors les exercices les plus faciles.

Pour ceux qui sont souvent assis

➤ Commencez d'abord par vous échauffer (cf. page 11).

➤ Faites ensuite quelques exercices pour développer la mobilité. Choisissez-en deux ou trois (cf. pages 12 à 15).

➤ Consacrez-vous ensuite aux exercices musculaires (cf. pages 23-39). Vous devez entraîner les muscles du dos et les abdominaux de manière équilibrée.

➤ Les exercices d'étirement de la zone épaules et nuque sont particulièrement importants (cf. pages 20-21).

➤ Et pour terminer : relaxez-vous ! (cf. page 44).

Mobilité : page 15, exercice 6

Mobilité : page 15, exercice 7

Musculation : page 32, exercice 5

Musculation : page 34 exercice 1

Étirement de la nuque : page 21

Vous travaillez à l'hôpital ou dans une boutique ?

Ceux qui sont contraints de rester debout longtemps, de porter des charges et de se baisser devraient surtout se consacrer aux exercices de mobilité et de musculation. Étant donné que ces positions et mouvements sollicitent essentiellement les vertèbres lombaires, il est important de faire travailler le bas du dos et les abdominaux.

Pour ceux qui sont souvent debout

➤ Commencez d'abord par vous échauffer (cf. page 11).
➤ Les abdominaux constituent l'un des appuis essentiels du buste. Choisissez deux exercices spécifiques (cf. pages 24-29).
➤ Les muscles du dos servent de protection à la colonne vertébrale. Choisissez deux exercices spécifiques (cf. pages 30-39).
➤ Ajoutez quelques étirements (cf. pages 16-21). Après l'entraînement, le stretching est encore plus efficace. Mais si vous sou-

haitez ne pratiquer que des exercices d'étirement, n'oubliez surtout pas l'échauffement préalable.
➤ Et pour terminer : relaxez-vous ! (cf. page 44).

Muscles du dos : page 33, exerc

Mobilité : page 13, exercice 3

Mobilité : page 13, exercice 4

Muscles du dos : page 35, exerc

Étirements : page 18, exercice 4

Abdominaux : page 27, exercice 2

Abdominaux : page 28, exercice 4

Étirements : page 19, exercice 5

Et pour ceux qui sont toujours pressés ?

Les quatre exercices suivants vous permettront de pratiquer un entraînement de tout le corps en 20 minutes. Vous ferez ainsi travailler tous les groupes musculaires importants.

➤ Commencez d'abord par vous échauffer (cf. page 11).

➤ Les pompes

Mobilisation des pectoraux (buste), des deltoïdes (épaules) et des biceps (bras).

1. Prenez appui sur vos mains et sur vos genoux. Les mains doivent être posées à hauteur des épaules. Croisez les jambes, puis faites des pompes.

2. Veillez à garder le dos bien droit.

3. Fléchissez les bras de sorte que le buste effleure le sol.

4. Expirez en soulevant votre buste et inspirez en relâchant. Faites 2 à 3 séries de pompes comportant 10 répétitions. L'exercice dure 4-5 minutes environ.

➤ Exercice pour le dos

Terminez avec l'exercice 2 de la page 30. Vous ferez ainsi travailler les muscles du dos. Respirez régulièrement. Faites 2 à 3 séries comportant 10 à 15 répétitions. L'exercice dure 4-5 minutes environ. Ces deux exercices successifs vous permettront de faire travailler les muscles du buste de manière équilibrée. Vous pouvez changer d'exercice pour le dos toutes les 4-5 semaines (page 30-38 ou bien exercice 4 page 37, ou encore exercice 8 page 33).

Ventre, jambes et fesses

Les deux exercices suivants vous permettront d'entretenir votre ventre, vos jambes et vos fesses. Commencez avec l'entraînement des abdominaux qui servira de transition entre le buste et les jambes.

➤ **Pour les abdominaux**

1. Allongez-vous sur le dos et ouvrez largement les bras, paume des mains face au sol.

2. Soulevez et maintenez la tête et les épaules au-dessus du sol en expirant. Le menton tire vers votre buste et le regard est tourné à l'oblique vers le plafond.

3. Relâchez en inspirant. Faites 2-3 séries comportant 10-15 répétitions chacune. L'exercice dure 4-5 minutes.

Changez d'exercice toutes les 4-5 semaines en piochant parmi ceux qui sont expliqués pages 24 à 29.

➤ **Un peu d'escalade...**

Cet exercice est excellent pour la circulation sanguine ! Il vous faut une chaise ou un tabouret bien stable.

1. Joignez les mains derrière la tête. Veillez à garder le dos bien droit pendant toute la durée de l'exercice.

2. Faites ensuite le geste de grimper sur la chaise, alternativement avec la jambe droite puis la jambe gauche, en expirant.

3. Tendez au maximum la jambe qui travaille. Faites 2-3 séries comportant 15-20 répétitions chacune. L'exercice dure 5-6 minutes.

Le final :
Relaxez-vous

Achevez toujours votre entraînement avec un exercice de relaxation.
Installez-vous confortablement, en position assise ou bien couchée.

➤ Faites l'exercice le plus calmement possible. Vous devez ainsi parvenir à détendre tout votre corps. Après quelques respirations profondes, vous sentirez votre pouls ralentir.
Renouvelez l'exercice de respiration 3 à 5 fois.

En position assise

1. Asseyez-vous sur une chaise en redressant bien le dos. Vos pieds sont à plat sur le sol. Joignez les mains et orientez le regard devant vous.

2. Levez les bras au-dessus de la tête en inspirant.

3. Abaissez-les ensuite en expirant. Vous pouvez idéalement faire cet exercice à n'importe quel moment de la journée. Cela vous aidera à vous décontracter.

En position couchée

1. Allongez-vous sur un tapis de sol bien ferme, après avoir glissé un oreiller plat à hauteur de votre tête. Tendez les bras devant vous en accolant les mains.

2. Levez les bras au-dessus de la tête en inspirant.

3. Ramenez les bras en expirant.

Chez le même éditeur

Index

À propos de l'auteur

Achim Schmauderer
est spécialisé dans les médecines
parallèles. Il est médecin
sportif et masseur et exerce
dans plusieurs cabinets
médicaux en tant que médecin
sportif spécialisé dans la thérapie
manuelle. Depuis mars 2000,
il fait des interventions
à la télévision allemande.
Il poursuit parallèlement
ses études de médecine
à l'université de Heidelberg.

Notice importante

Tous les conseils communiqués
dans cet ouvrage ont
été préalablement testés
et prouvés. Les lecteurs
sont libres de les transposer
ou de les modifier, mais l'auteur
et l'éditeur n'en prennent
en aucun cas la responsabilité.

Traduction française de Sabine Boccador

Pour l'édition originale, parue sous le titre Wirbelsäulen-Gymnastik.

© 2002, Gräfe und Unzer Verlag Gmbh, Munich.

Pour la présente édition :
© 2004, Éditions Vigot – 23, rue de l'École-de-Médecine, 75006, Paris, France.
Dépôt légal : mars 2004 – ISBN 2-7114-1649-6
Mise en page : FACOMPO – Lisieux.
Imprimé en France par Pollina – L92299 B